Meet big **K** and little **k**.

Kk

Trace each letter with your finger and say its name.

K is for

kangaroo

K is also for

king

karate

kite

kitten

Kk Story

Can a **k**angaroo
and a **k**ing be pals?
Yes, they can!

A **k**angaroo and a **k**ing can
do **k**arate. **K**ick, **k**ick!

They can fly a **k**ite.

They can float in a **k**ayak!

A **k**angaroo and a **k**ing can be **k**ind to a **k**itten.

Can a **k**angaroo and a **k**ing
and a **k**itten be pals?
Yes, they can!